Un libro de Las Raíces de Crabtree
REPARTIDOR

DOUGLAS BENDER

Traducción de Pablo de la Vega

CRABTREE
Publishing Company
www.crabtreebooks.com

Apoyos de la escuela a los hogares para cuidadores y maestros

Este libro ayuda a los niños en su desarrollo al permitirles practicar la lectura. Abajo están algunas preguntas guía para ayudar al lector a fortalecer sus habilidades de comprensión. En rojo hay algunas opciones de respuesta.

Antes de leer:

- ¿De qué pienso que trata este libro?
  - *Este libro es sobre los repartidores.*
  - *Este libro es sobre lo que hacen los repartidores en su trabajo.*
- ¿Qué quiero aprender sobre este tema?
  - *Quiero aprender cómo se ve un repartidor.*
  - *Quiero aprender qué hace un repartidor.*

Durante la lectura:

- Me pregunto por qué...
  - *Me pregunto por qué algunas personas deciden trabajar como repartidores.*
  - *Me pregunto por qué los repartidores usan uniformes.*
- ¿Qué he aprendido hasta ahora?
  - *Aprendí que algunos repartidores viajan en camionetas.*
  - *Aprendí que los repartidores entregan paquetes.*

Después de leer:

- ¿Qué detalles aprendí de este tema?
  - *Aprendí que los repartidores usan uniformes.*
  - *Aprendí que los repartidores deben ser fuertes porque tienen que cargar muchos paquetes.*
- Lee el libro una vez más y busca las palabras del vocabulario.
  - *Veo la palabra **escáner** en la página 6 y la palabra **uniforme** en la página 8. Las demás palabras del vocabulario están en la página 14.*

Él es un **repartidor**.

Un repartidor entrega **paquetes**.

Un repartidor tiene un **escáner**.

Un repartidor se viste de **uniforme**.

Algunos repartidores viajan en **camioneta**.

¿Conoces a algún repartidor?

Lista de palabras
Palabras de uso común

algunos	en
de	es
él	un

Palabras para conocer

camioneta

escáner

paquetes

repartidor

uniforme